CW00848045

KARÁCSONYI CSEREBERE

Karácsonyi cserebere

A mesét írta *Tuula Pere*
Illusztrációk *Outi Rautkallio*
Tördelé: *Peter Stone*
Magyar Fordítás *Czuczor Tamás*

ISBN 978-952-357-382-6 (Hardcover)
ISBN 978-952-357-383-3 (Paperback)
ISBN 978-952-357-384-0 (ePub)
Első kiadás

Copyright © 2014-2021 Wickwick Ltd

Kiadta a Wickwick Ltd, 2021
Helsinki, Finnország

Christmas Switcheroo, Hungarian Translation

Story by *Tuula Pere*
Illustrations by *Outi Rautkallio*
Layout by *Peter Stone*
Hungarian translation by *Czuczor Tamás*

ISBN 978-952-357-382-6 (Hardcover)
ISBN 978-952-357-383-3 (Paperback)
ISBN 978-952-357-384-0 (ePub)
First edition

Copyright © 2014-2021 Wickwick Ltd

Published 2021 by Wickwick Ltd
Helsinki, Finland

Originally published in Finland by Wickwick Ltd in 2014
Finnish "Kummat lahjat", ISBN 978-952-5878-13-4 (Hardcover)
English "Christmas Switcheroo", ISBN 978-952-5878-22-6 (Hardcover)

Wickwick books are available at special discounts when purchased in quantity for premiums and promotions as well as fundraising or educational use. Special editions can also be created to specification. For details, contact specialsales@wickwick.fi.

KARÁCSONYI CSEREBERE

TUULA PERE · OUTI RAUTKALLIO

WickWick
Children's Books from the Heart

A karácsony olyan ünnepi időszak volt, melyet a Perger család nagyon komolyan vett. Az előkészületek már jóval azelőtt elkezdődtek, hogy lehullt volna az első hó. Anyu különösen imádta a karácsonyt. Nyáron és ősszel növényeket termesztett és bogyókat szárított ki a dekorációkhoz.

– Ezekből nagyszerű karácsonyi koszorúk lesznek – örvendezett Anyu, miközben az egész étkezőasztalt beterítette a kincseivel.

2

A család többi tagja nem volt olyan izgatott a koszorúk miatt. Vagy épp amiatt, hogy Anyu karácsonyi kézműves cuccai lényegében októbertől decemberig beborították az asztalt.

Viszont mind imádtak karácsonyi énekeket hallgatni és mézeskalács sütit majszolni még azelőtt, hogy az összes levél lehullt volna a fákról.

3

4

Apu ezalatt a karácsonyi elektromos kütyükkel babrált. Feltette a karácsonyi fényeket, kiötlött egy fűtőberendezést a madáretetőhöz és megjavította a karácsonyi dalokat éneklő, elemmel működő manót. Tapsra a manó elkezdett hangosan danolászni és vadul rázta magát rá.

Apu minden évben egyre több karácsonyi fényt tett fel. Sok-sok estét töltött azzal, hogy összeeszkábálja őket és kicserélgesse az izzókat.

– Remélem, idén nem vágja ki a biztosítékot! – mondogatta.

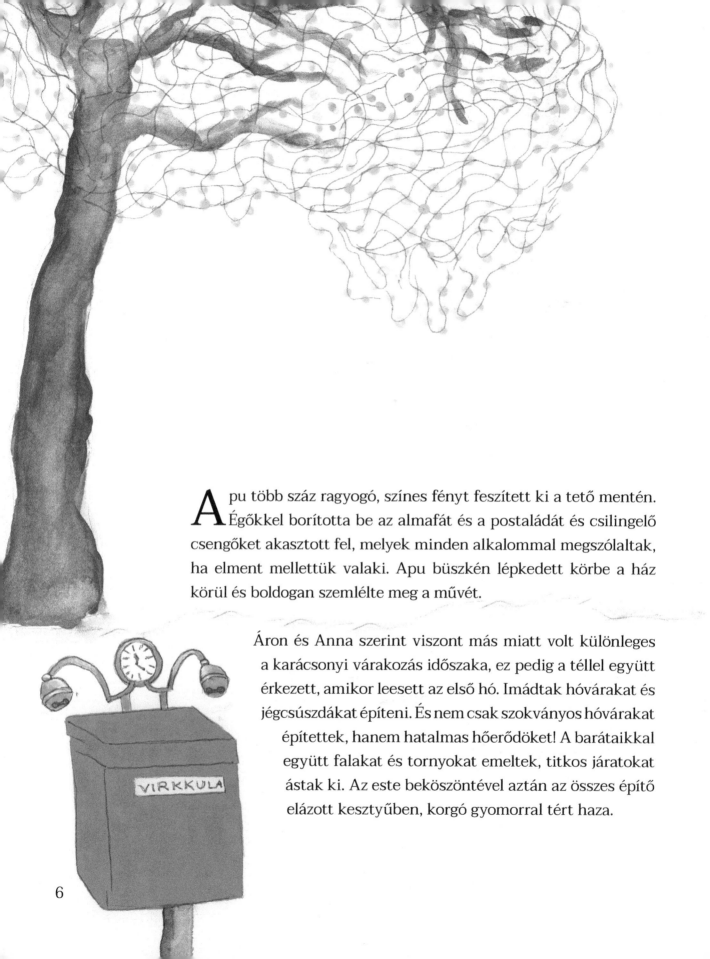

Apu több száz ragyogó, színes fényt feszített ki a tető mentén. Égőkkel borította be az almafát és a postaládát és csilingelő csengőket akasztott fel, melyek minden alkalommal megszólaltak, ha elment mellettük valaki. Apu büszkén lépkedett körbe a ház körül és boldogan szemlélte meg a művét.

Áron és Anna szerint viszont más miatt volt különleges a karácsonyi várakozás időszaka, ez pedig a téllel együtt érkezett, amikor leesett az első hó. Imádtak hóvárakat és jégcsúszdákat építeni. És nem csak szokványos hóvárakat építettek, hanem hatalmas hőerődöket! A barátaikkal együtt falakat és tornyokat emeltek, titkos járatokat ástak ki. Az este beköszöntével aztán az összes építő elázott kesztyűben, korgó gyomorral tért haza.

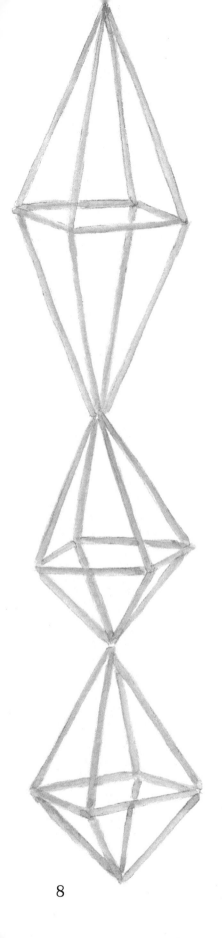
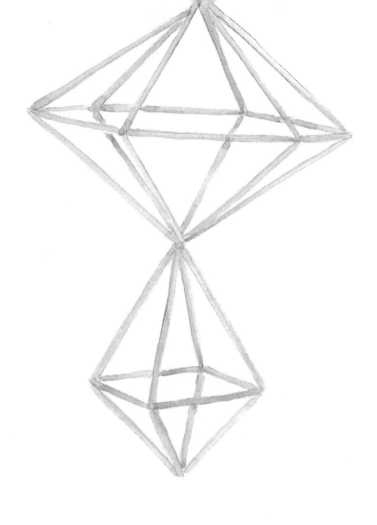

Anyu nagyon ügyesen tudott kézműveskedni. Vagy egy tucat különféle varrótanfolyamot elvégzett már. Tudott horgolni, csipkét verni, kötni, patchworközni és hímezni. Idén úgy döntött, csinos kis palacktartókat horgol. Biztos volt benne, hogy minden rokonnak tetszeni fog. A kávézóasztalka csak úgy roskadozott a különböző színű pamutgombolyagoktól.

– Imádom a karácsonyi várakozás időszakát – sóhajtott Anyu elégedetten horgolás közben.

8

Egyik este mézeskalács illata lengte be Pergerék házát. A család együtt ülte körbe az asztalt, hogy megírják azoknak az ajándékoknak a listáját, amelyeket még meg kellett vásárolniuk.

– Még négy ajándékra van szükségünk – mondta Apu. – Ki kell még találnunk valamit Ede bácsinak, Zsolt unokatestvéreteknek és Zsuzsi néninek. Plusz a keresztanyátok, Margó néni számára is szereznünk kell valamit.

– Lepjük meg őket szuper ajándékokkal! – javasolta Anna.

Áron mosolyogva bólogatott. – Egyetértek!

9

A család először arról beszélgetett, mit kapjon Ede bácsi. A nagybácsi olyan régóta tanulmányozta a madarakat, hogy szinte már ő maga is bagollyá változott. A kedvenc kabátja mintázata épp úgy nézett ki, akár egy bagoly tollazata.

Anyu gyakran mondogatta, Ede annyira szétszórt, hogy néha még a saját nevét is elfelejti. A gyerekek persze soha nem hitték ezt el. Elvégre a nagybácsikájuk tudta az összes madár nevét – méghozzá latinul!

Ede bácsi képes volt csukott szemmel is felismerni a madarakat. Megismerte őket az énekük alapján.

– Szerezzünk Ede bácsinak egy fiókát! – ötletelt Áron.

– Mit szólnátok egy papagájhoz? – dobta fel Anna.

– Micsoda remek ötlet! – jegyezte meg Anyu. – Lefogadom, hogy Ede még beszélni is meg tudná tanítani!

M argó, a gyerekek keresztanyja volt Anyu legjobb barátnője. Legalábbis Áronnak és Annának úgy tűnt, mivel Anyu állandóan vele csevegett telefonon. A gyerekek még kiskorukban készült fényképeket is láttak róluk. Akkoriban annyira hasonlítottak egymásra, mint két tojás. Mostanra viszont már nagyon másképp néztek ki.

Anyu előszeretettel emlegette Margót „vizuális művészként", miközben ő maga inkább „életművésznek" hívta magát. Míg Margó koromfekete haja egyenes szálakban hullt alá, addig Anyu fejét vörös, göndör hajkorona ékesítette.

A művésznő otthonában minden feketében vagy fehérben tündökölt, a holmijait pedig mindig rendben tartotta. Pergerék házában ezzel szemben a szivárvány szinte minden színe fellehető volt, mindenfelé zsúfoltság uralkodott, lakásukat pedig állandó zaj jellemezte. Margó néha meg is jegyezte, hogy beleszédül Pergerék házának felbolydult zűrzavarába.

– Mi a jó eget szerezzünk Margónak karácsonyra? – tűnődött hangosan Anyu. – Nincs szüksége már több cuccra.

– Szerezzünk neki egy másikat abból a művészköpenyből, aminek olyan színesek voltak a zsebei – javasolta Apu. – Legalább öt éve is megvan már annak, hogy utoljára ilyet adtunk neki.

– Ki a következő? – kérdezte Áron

– Zsolt – felelte Anna.

A gyerekek azt gondolták, az unokatestvérük igencsak furcsa lett az utóbbi időben. Soha nem akart már hóvárat építeni, vagy a család többi tagjával beszélgetni. Ehelyett kizárólag csak a szobájában volt hajlandó gubbasztani a fülhallgatóval a fején.

– Semmi veszélyes dolog – nyugtatgatta Anyu Annát ás Áront
– csupán most lép a kamaszkorba.

A gyerekek nem igazán értették mit is akar ezzel Anyu.

– Én soha nem akarok abba a korba lépni! – jelentette ki Áron.
– Zsolti olyan unalmas lett.

– Ne aggódj! Majd elmúlik – biztosította őt Anyu.

– Szerezzünk Zsoltinak egy elektromos dobfelszerelést! –
szólalt meg izgatottan Apu. – Én tizenévesként imádtam
volna.

Zsuzsi néni ajándéka volt soron. Ő kemény diónak számított. A világon mindenről határozott véleménye volt, és attól sem riadt vissza, hogy ezeket mind meg is ossza.

– Soha semmi nem változik meg abban a makacs fejedben – vetette oda a nagynénjének egyszer Apu. – Mint ahogy az a göndör frizurád sem.

A civódásuk szerencsére hamar véget ért. Végül Apu és Zsuzsi néni már egészen jól kijöttek egymással. Képtelenség volt megváltoztatni a nagynéni azon véleményét, miszerint a kávégép és a mosógép képviseli a valaha feltalált legjobb technológiát. Tehát Apu tisztában volt azzal, hogy reménytelen felkeltenie nagynénje érdeklődését a saját eszközeivel és találmányaival kapcsolatban.

– Lefogadom, hogy Zsuzsi néni leginkább egy hajsütő vasat szeretne – mondta Anyu. – Azzal semmi perc alatt be tudná bodorítani a tincseit.

Ideje volt elindulniuk vásárolni. Apu felcsatolta a kocsira az utánfutót.

Anyu felkacagott. – Hát az meg mihez kell? – kérdezte. – Már csak négy ajándékra van szükségünk!

– Ma reggel találtam egy fűthető autóbeállóról szóló hirdetést. Arra gondoltam, remek ajándék lehetne az egész család számára – magyarázta Apu.

A gyerekek előbb összenéztek, majd elvigyorodtak. Ez mennyire tipikus Aputól! Tavaly karácsonykor a családi ajándék egy automata vízköpő volt a szaunához. Már az első használatkor lerobbant. Mindnyájuknak ki kellett rohannia a szaunából, mert a masina egyre csak spriccelte a kövekre a vizet és nem akart leállni!

A város csak úgy nyüzsgött. Úgy tűnt, mintha mindenki úgy döntött volna, hogy ugyanabban az időpontban intézi el a karácsonyi bevásárlást. A mélygarázs csordultig megtelt.

Apu homlokán egyre több gyöngyöző verejtékcsepp jelent meg, miközben körbe-körbe hajtva parkolóhelyet próbált találni a kocsinak és az utánfutónak. Végül ráakadt egy üres helyre, a család pedig elindult az üzletek irányába. Anyu és Apu a nagyáruházat választotta, a gyerekek pedig a sétálóutcát és a karácsonyi vásárt célozták be.

A korzón állt egy aprócska kávézó. Ott árulták a világ legfinomabb forró csokoládéját. A gyerekek boldogan kortyolgatták a csokiitalukat, és közben az édességeket csodálták az egyik kirakatban.

– Miután letörölted a csokoládébajuszt az arcodról, elmehetnénk a könyvtárba – javasolta Anna Áronnak.

A könyvtár volt a gyerekek kedvenc helye a városban. Mindig találtak lenyűgöző könyveket a gyereksarokban.

Ezúttal azonban egyetlen kötetet sem kölcsönöztek ki; odabent éppen karácsonyi kézműves program zajlott. Áron és Anna a következő pillanatban már el is készült a saját papírcsillag-díszével, melyet odahaza az ablakra ragaszthattak.

– Maradjunk még itt egy kicsit! – suttogta Anna elégedetten.

Áron bólintott egyet. – Olyan csendes idebent. Nincsenek vásárlók, sem tömeg!

– Milyen kár, hogy Anyu és Apu túl elfoglalt ahhoz, hogy ők is élvezhessék! – sóhajtotta Anna.

Ahogy egyre közeledett a karácsony, Pergeréknél a hangulat is egyre feszültebbé vált. Összesen három tepsi mézeskalács égett már oda, Anyu házi készítésű gyertyái pedig furcsa színűre sikerültek és ráadásul kissé meg is dőltek.

Anyu egyre idegesebb lett. – Hogyan fogok mindennel időben elkészülni? – kesergett. – Még be kell csomagolnom és fel kell adnom a postán a rokonoknak szánt ajándékainkat!

– Mi szívesen segítünk! – ajánlkoztak a gyerekek.

– Amíg te elkészíted a mézeskalács házikókat, addig mi becsomagoljuk majd az ajándékokat – mondta Áron.

Anna egyetértően bólogatott. – Szépen becsomagoljuk őket és csodaszép kézírással meg is írjuk a címzéseket.

Úgy tűnt, Anyu ettől kissé megkönnyebbült. – Köszönöm, srácok! Itt vannak a címkék, itt pedig az ajándékok. Légy szíves, legyetek óvatosak!

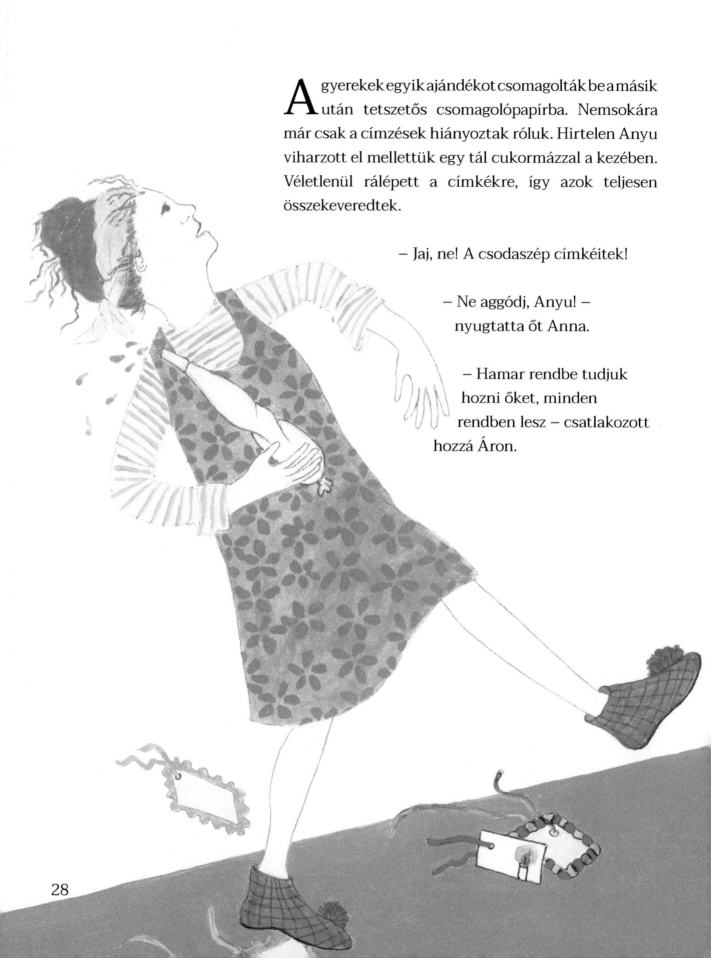

A gyerekek egyik ajándékot csomagolták be a másik után tetszetős csomagolópapírba. Nemsokára már csak a címzések hiányoztak róluk. Hirtelen Anyu viharzott el mellettük egy tál cukormázzal a kezében. Véletlenül rálépett a címkékre, így azok teljesen összekeveredtek.

– Jaj, ne! A csodaszép címkéitek!

– Ne aggódj, Anyu! – nyugtatta őt Anna.

– Hamar rendbe tudjuk hozni őket, minden rendben lesz – csatlakozott hozzá Áron.

A gyerekek ismét belevetették magukat a munkába, újraírták a címkéket és ráragasztották őket a csomagokra. Szélsebesen dolgoztak, nehogy Anyu megint elkezdjen bosszankodni.

Később Apu a kész csomagokra pillantott. – Ede bácsinak, Margónak, Zsoltnak és Zsuzsi néninek – olvasta fel hangosan, aztán a gyerekekre mosolygott. – Nagyszerű munkát végeztetek. Holnap együtt megyünk majd a postára.

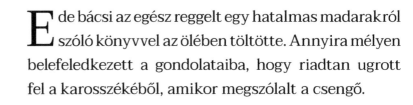

E de bácsi az egész reggelt egy hatalmas madarakról szóló könyvvel az ölében töltötte. Annyira mélyen belefeledkezett a gondolataiba, hogy riadtan ugrott fel a karosszékéből, amikor megszólalt a csengő.

– Mi az? Mi történt? Ó, csak a csengő – motyogta Ede bácsi.

A nagybácsi képes volt akár órákig is mozdulatlanul csendben maradni, ha madármegfigyelésre került sor. Ám az ajándékokkal már egyáltalán nem volt ilyen türelmes!

– Egy lapos csomag. Hmm... Ez nagyon ígéretes, talán egy új madaras könyv – tűnődött. Az utolsó darabka csomagolópapírt is lehántotta róla, meghökkenve így szólt: – Ez meg mi a csuda?

A küldemény egy művészköpenyt rejtett, aminek legalább egy tucat színes zsebe volt.

Egy pillanatig csak bámulta, majd lassan szélesre húzódott a mosolya. – Ami azt illeti, ez egy igazán hasznos holmi. Rengeteg hely akad benne a távcsőmnek meg a többi cókmókomnak. Többé nem kell majd keresgélnem a kulcsaimat vagy a szemüvegemet. Micsoda pazar ajándék!

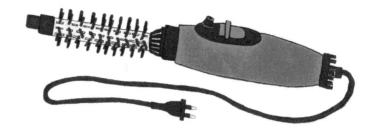

Margó épp az imént fejezte be a granolából és almából álló egészséges reggelijét. Azonnal rendet rakott a konyhában, majd átlépett abba a terembe, ahol a festőeszközeit tartotta. Egy hatalmas fehér vászon állt előtte hívogatóan, mely alig várta már, hogy az ecsetvonásait öltse fel magára.

A művésznő lelki szemei előtt már kristálytisztán megjelent az új műve. Hosszú hajfürtjeit hátrasimítva behunyta a szemét.

– Egy széles, fekete vonalat látok alul és két vékonyabbat felül. Közöttük egy kilapított vörös labda látható.

Kopogtak az ajtón – csomagja érkezett. Margó úgy döntött, azonnal kibontja a hosszúkás alakú küldeményt. Már amúgyis félbeszakították a munkáját.

Margó sandán pislogva pillantott rá az elé táruló ajándékra. – Milyen különös választás Pergeréktől – jegyezte meg, miközben a kezébe vette a hajsütő vasat. – Nos, akár ki is próbálhatnám a tincseimen. Talán festés közben nem lógnának állandóan a szemembe.

Harminc perccel később Margó már az előszobában álló tükörben vizsgálgatta a saját göndör hajú képmását. Végül igencsak elégedetten biccentett egyet a tükörképe felé.

Zsolt a szobájában búslakodott. Amikor anyukája kopogott az ajtón, egyetlen morranással válaszolt. Meg se köszönte neki azt a hatalmas csomagot és borítékot, amit letett elé a padlóra.

– Nincs kedvem kibontani azt az ajándékot – morogta a fiú. – Pergeréktől mindig gyerekes cuccokat kapok. – Azzal a boríték után nyúlt. – Remélem, van benne pénz!

Nos, pénz az nem volt benne, de talált helyette egy kisállat-kereskedésbe szóló ajándékutalványt, ami egy papagájra volt beváltható.

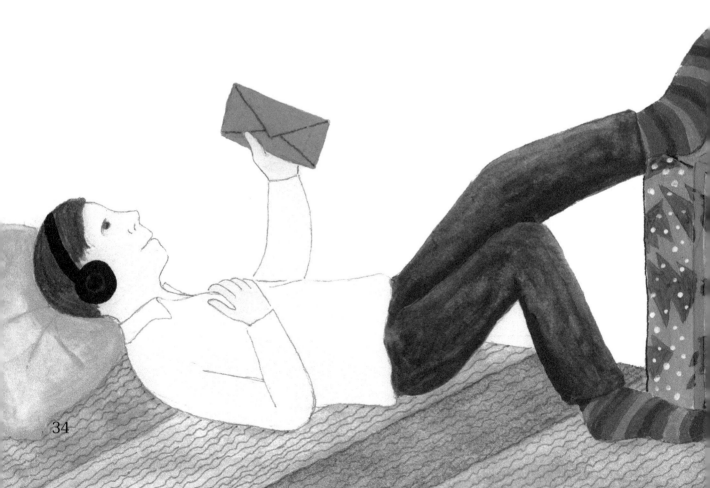

34

Zsolt meglepve bámult a csomagra, majd elkezdte felbontani. Egy hatalmas madárkalitka volt benne!

– Most meg hova rohansz? – kiáltott utána anyukája, amikor Zsolt elviharzott mellette, ám a fiúnak nem volt ideje válaszolni. Egyenesen a kisállat-kereskedésbe rohant.

„Hű, de vagány! Saját papagájom lehet! Ilyen egyik barátomnak sincs!" – gondolta magában.

Zsuzsi néni zavartan álldogált az előszobában álló, óriási doboz előtt.

– Minő meggondolatlanság ilyen nagy ajándékot küldeni – zsémbeskedett. – Nem kis vesződség lesz kinyitnom. És mégis mit csináljak majd azzal a rengeteg kartonpapírral és buborékos fóliával?

Az ajándék annyira meglepőre sikerült, hogy most először az életben még Zsuzsi néninek is elakadt a szava. Benyúlt a dobozba és sorra vette elő az alkatrészeket – melyek végül egy elektromos dobfelszerelést adtak ki!

A dobszett hamar összeállt és nemsokára teljes pompájában díszelgett. Már csak be kellett dugni a konnektorba.

– Ezek a Pergerék kitalálták a tikos vágyam! – fakadt ki Zsuzsi néni lenyűgözve. – Hetven éven át szégyelltem bárkinek is elárulni, hogy szeretnék megtanulni dobolni.

Zsuzsi néni feltette a fejére a fülhallgatót és szabadjára engedte a fantáziáját. Egész nap egyfolytában csak dobolt. Estére aztán az amúgy mindig feszesen tartott válla egyszerre ellazult, szigorú bodrokba göndörített tincseit pedig összekócolták a vad ritmusok.

– Milyen csodálatos ajándék! – örvendezett Zsuzsi néni. – Most azonnal fel kell hívnom Pergeréket, hogy megköszönjem nekik!

A nyu letette a kagylót. Hirtelen rákvörös lett.

– Nem fogjátok elhinni, mi történt – mondta kimérten. – Véletlenül Zsuzsi néni kapta meg a dobfelszerelést... és el van tőle ragadtatva!

– Csak azt ne mondd, hogy Zsolti kapta meg Zsuzsi néni hajsütő vasát! – fakadt ki Áron.

A következő cserére a Zsolt anyukájától érkező hívás derített fényt. Elmesélte, hogy az unokatestvérük egész este a szobájában ücsörgött és az új papagájához beszélt!

– Zsolti még el is nevette magát! – számolt be a nem mindennapi történésről.

Anyu még mindig bosszúsnak tűnt.

– Semmi ok az aggodalomra! – igyekezett őt Apu megnyugtatni. – Zsuzsi és Zsolti is le vannak nyűgözve attól, amit kaptak.

– Kíváncsi leszek, mit szól majd Margó és Ede az ajándékához – mormogta Anyu a halántékát dörzsölve. – Megfájdult a fejem!

Anyu kimenekült a kanapéra és egy takaró alá bújt. Később sem volt hajlandó felvenni a telefont, pedig éppen Margó hívta azért, hogy megköszönje a hajsütő vasat.

Apu végighallgatta Margó izgatott beszámolóját az új göndör frizurájáról. – Margó úgy döntött, a festményei stílusán is változtat – mesélte Anyunak. – Azt mondta, az új műalkotásán hullámos vonalak lesznek!

– De még mindig ott van Ede bácsi. Nem tudom elképzelni, hogy örülne egy művészköpenynek. – siránkozott Anyu a takaró alól. – Kérlek, hívd fel!

A nyu szerencsére tévedett. Ede bácsi boldogan grasszált fel-alá a rengeteg zsebbel ellátott köpenyében. – Már régóta ilyen köpenyre lett volna szükségem – magyarázta Apunak a vonal másik végéről. – Soha többé nem fogom újra elveszteni a holmijaimat.

Meglapogatta a vörös zsebet, amelybe a távcsövét csúsztatta. Azt tervezte, amint befejezi Apuval a beszélgetést, megfigyeli a madarakat az etetőnél.

A Szenteste előtti nap nehezen telt. Apu kültéri karácsonyi égősora csak hunyorogva pislákolt. Anyu egy hideg törölközővel a homlokán az ágyban feküdt.

– Nem így terveztem – morogta Anyu. – Úgy volt, hogy tökéletes karácsonyunk lesz!

A gyerekek észrevették, hogy a szüleik egyre idegesebbek. – Ideje átvennünk az irányítást, Áron – fordult Anna a bátyja felé.

Áron egyetértően bólogatott. – Gyerünk!

A gyerekek a konyhába szaladva elkezdték átkutatni a konyhaszekrényeket és a hűtőt. Persze találtak elegendő ételt, arról viszont fogalmuk sem volt, hogyan kellene elkészíteniük a karácsonyi vacsorát.

– Bárcsak tudnánk, hogyan kell megsütni a karácsonyi pulykát! – sóhajtotta Áron. Anna úgy döntött, felhívja Margót és Zsuzsi nénit. Talán az egyikük tud segíteni.

Karácsony reggel Anna és Áron korán felkelt. Alig várták már, hogy kibonthassák az ajándékaikat, ám erre még egy kicsit várniuk kellett. Először is ellenőrizniük kellett még pár dolgot.

Odalentről már csörömpölés zaja hallatszott. Csendben elosontak a szüleik hálószobája előtt és egyenest a konyhába mentek. A tervük tökéletesen működött. Sült pulyka ínycsiklandó illata lengte be a helyiséget.

Zsuzsi néni mosolygott rájuk. – A pulyka már a sütőben van. Épp idejében el fog készülni a vacsorához.

– Bucikat is sütöttünk – tette hozzá Margó feléjük mutatva egy kenyeres kosarat.

– Mi miben segíthetünk? – kérdezte Áron.

Margó és Zsuzsi néni néhány gyors utasítással látta el a gyerekeket. Nemsokára már ők is szorgosan hámozták a zöldségeket, fényezték az ezüst evőeszközöket és megterítették az asztalt.

Anyu – még mindig a hálóingjében – topogott be a konyhába. Sugárzott az arca a boldogságtól, amikor meglátta a csodát, amit a segítői teremtettek.

Aznap este miután mindenki kibontogatta az ajándékait és elfogyasztotta a finom karácsonyi vacsorát, a gyerekek mindenkit arra kértek, hogy álljon az ablakhoz. Még egy karácsonyi meglepetéssel készültek: a kert fáit és bokrait különböző méretű, hóból épített lámpások világították meg.

– Ez csodaszép! – örvendezett Anyu.

– Lenyűgöző! – értett vele egyet Apu és közben mindnyájukat átölelte.

Anyu elkezdett halkan énekelni egy karácsonyi dalt, amihez nemsokára mindenki csatlakozott.

Egyáltalán nem számított, hogy Apu karácsonyi fényei még mindig csak pislákolnak. Újabb tökéletes karácsony köszöntött be Pergerék házában.

48

CPSIA information can be obtained
at www.ICGtesting.com
Printed in the USA
LVHW071643120421
684247LV00009B/211